O MELHOR DE Pixinguinha

melodias e cifras

coodernação de Maria José Carrasqueira

Nº Cat.: 242-A

Irmãos Vitale Editores Ltda.
vitale.com.br
Rua Raposo Tavares, 85 São Paulo SP
CEP: 04704-110 editora@vitale.com.br Tel.: 11 5081-9499

Dados Internacionais de Catalogação na Publicação (CIP)
(Câmara Brasileira do Livro, SP, Brasil)

O Melhor de Pixinguinha : melodias e cifras / coordenação de Maria José Carrasqueira. -- São Paulo : Irmãos Vitale, 1997.

1. Música 2. Música - Estudo e ensino 3. Pixinguinha, 1898-1973 I. Carrasqueira, Maria José.

ISBN 85-85188-54-5
ISBN 978-85-85188-54-2

97-2110 **CDD- 780.7**

Indices para catálogo sistemático:

1. Música : Estudo e ensino 780.7

Créditos

Produção Geral e Coordenação
Maria José Carrasqueira

Revisão das melodias
Antonio Carlos Carrasqueira

Cifras
Edmilson Capelupi

Editoração Musical e Eletrônica
Sávio Araújo

Capa
Fátima & Ristow

Foto gentilmente cedida por
Celso Lopes (Auxiliadora Predial) e
ATO (Amigos da Travessa Ouvidor)

Escultura de Pixinguinha
Oto Dumovich

PREFÁCIO

A idéia de fazer esta edição surgiu ao longo de uma pesquisa sobre Pixinguinha e suas obras. Nosso objetivo foi atualizar a edição de uma parcela de seu acervo musical, composto de inúmeras obras, na sua maioria desconhecidas do grande público, e com isso completar as homenagens feitas ao mestre no ano em que se comemora o centenário de seu nascimento.

Tomamos como base as edições feitas anteriormente, que foram comparadas a acervos pessoais de chorões e colecionadores de choros, gravações originais, e consultas a estudiosos e executantes dessa mais pura manifestação de nossa música.

As letras das músicas foram adaptadas considerando-se a prosódia de cada uma. Tendo o choro uma forma aberta de interpretação, colocamos aqui um parâmetro de leitura.

Uma das composições mais belas de Pixinguinha é a valsa "Rosa", que por muitos anos teve sua terceira parte subtraída pelo fato de ser esta somente instrumental. No adendo colocamos a composição integral como composta originalmente, e gravada por Pixinguinha para o selo Odeon em 1917 (disco Nº 121365).

Uma outra consideração a fazer é que Pixinguinha algumas vezes mudava o nome de suas obras, tendo o mesmo choro dois títulos diferentes. Assim: "Teu Aniversário" - ("Recordando"); "Descendo a Serra" - ("Subindo a Serra"); "Oscarina" - ("Saudades do Monteiro").

De uma beleza rara, a obra de Pixinguinha retrata a alma brasileira, através de seu ritmo alegre e de melodias virtuosísticas, acrobáticas, fortes, contrapondo-se a melodias ternas de confissões intimistas e de paixão incontida.

VIVA PIXINGUINHA!
VIVA A MÚSICA BRASILEIRA!

Maria José Carrasqueira
São Paulo, Junho de 1997

FORWARD

The idea of elaborating this edition appeared during a research about Pixinguinha's life and his work. Our aim is to recover a great deal of his musical work, part of it unknown to the public.

The sources for this edition were Pixinguinha's original handwritings, first editions, personal collections of *chorões** and original recordings by qualified interpreters of this true manifestation of our music, and by Pixinguinha himself.

The words of the melodies were adapted considering the prosodical rhythm. As the *choro* has in its form a broad way of interpretation, we give here a parameter for the interpreter.

One of the most beautiful composition of Pixinguinha is the waltz "Rosa", that for many years had its third part unknown of the great public because it is just instrumental. This is the first time this composition appears in its entire form as it was originally composed and recorded by Pixinguinha in 1917 (Odeon, No. 121365).

Another consideration to be pointed out is that sometimes Pixinguinha used to give two titles for the same *choro*, as: "Teu Aniversário" - ("Recordando"); "Descendo a Serra" - ("Subindo a Serra"); "Oscarina" - ("Saudades do Monteiro").

We can say that in a very special way Pixinguinha pictures the Brazilian soul through his work with gay rhythms, virtuosistic melodies but also with tender themes that are full of intimate confessions and unrestricted passion.

Commemorating his centenary, we have the pleasure to bring out this treasure of the Brazilian music.

**Chorões*: musicians who play *choro* music.

Maria José Carrasqueira
São Paulo, June 1997
São Paulo, August 1998 – 2nd edition

APRESENTAÇÃO

PIXINGUINHA
(ALFREDO DA ROCHA VIANNA FILHO)
Rio de Janeiro, 23 de Abril de 1897
Rio de Janeiro, 17 de Fevereiro de 1973

Chamado pela avó de "Pizindim", menino bom, e de "bexiguinha" pelos amigos da escola, por ter apanhado varíola, com a junção dos dois apelidos nasceu "Pixinguinha". Filho de Da. Raimunda Maria da Conceição e do Sr. Alfredo da Rocha Vianna, Pixinguinha nasceu e cresceu ouvindo as interpretações dos amigos músicos de seu pai, funcionário dos Telégrafos e flautista nas horas vagas, colecionador de grande arquivo de choros antigos. Por sua casa passavam muitos amantes da música brasileira, intérpretes amadores e profissionais, entre os melhores da época, incluindo Villa-Lobos, que ia até lá para ouvir seus choros e tocar com eles. Em torno dos 10 anos Pixinguinha já tocava ao lado do pai em algumas festas.

Seu Alfredo, preocupado com a educação do filho, matriculou-o em bons colégios cariocas, entre eles o São Bento. A iniciação musical foi feita através da "Artinha" de Francisco Manuel, e o seu desenvolvimento artístico deu-se com a convivência contínua junto aos mais expressivos nomes da Música Popular Brasileira de seu tempo, como Irineu de Almeida, Quincas Laranjeiras, Luiz de Souza, João Pernambuco, Bonfíglio de Oliveira, Sátiro Bilhar e Anacleto de Medeiros, entre outros.

Em 1919, formou o primeiro grupo instrumental de música popular brasileira a se apresentar no exterior, "Os Oito Batutas", com o qual fez uma temporada de seis meses, de janeiro a julho de 1922, em Paris. Seguiram-se apresentações na Argentina e em diversas cidades brasileiras. Esse grupo foi um marco na história da Música Instrumental do Brasil.

Flautista brilhante e aclamado pela crítica, sua virtuosidade e criatividade foram sempre colocadas em suas composições e arranjos e, mesmo quando trocou a flauta pelo saxofone, continuou a apontar para horizontes novos através de contrapontos que se tornaram um ponto de referência e um estilo de execução para o instrumentista brasileiro. Como saxofonista apresentou-se continuamente junto a renomados flautistas, em especial Benedito Lacerda, com o qual desenvolveu um trabalho de parceria bastante profícuo.

O Choro tem em Pixinguinha o apogeu da forma e da originalidade, não só pela qualidade de suas composições mas também pelo conjunto de sua obra. Todos os elementos criativos do gênero, a improvisação, o ritmo coreográfico, o domínio da linguagem contrapontística, estão presentes de forma clara e ampla, dando ao intérprete a possibilidade de uma leitura irrestrita.

Melodista privilegiado, suas composições são verdadeiros poemas que evocam o sentir da alma brasileira.

Poucos foram os artistas que interagiram com os de sua geração de maneira tão decisiva para o desenvolvimento da autêntica Música Brasileira, quer como compositor, instrumentista, arranjador e maestro. Vivendo em tempos de profundas mudanças na vida do país, tocando nas antigas salas dos cinematógrafos e, posteriormente, nas rádios, na televisão, escrevendo trilhas para filmes, tendo inclusive colaborado com o autor de "Macunaíma", Mário de Andrade, numa época em que a necessidade do reconhecimento e da valorização do "nacional" era proclamada aos quatro ventos, Pixinguinha testemunhou as grandes transformações político-sociais e culturais ocorridas no Brasil.

Admirado por Villa-Lobos, Stokowski, Casals, Rui Barbosa, Vinícius de Moraes, Guerra Peixe, João de Barro, Tom Jobim, Radamés Gnatalli, entre tantos outros, Pixinguinha sempre foi um homem simples, para quem a arte era um dom sem mistérios, um poema que deveria ser sempre declamado.

O autor de "Carinhoso" morreu numa tarde chuvosa, na igreja de Nossa Senhora da Paz, onde fora batizar o filho de um amigo. Era o dia 16 de Fevereiro de 1973.

ABSTRACT

Pixinguinha is the nickname of ALFREDO DA ROCHA VIANNA FILHO (Rio de Janeiro, April 23, 1897 - Rio de Janeiro, February 17, 1973)

His parents were Alfredo da Rocha Vianna and Raimunda Maria da Conceição. Born in a musical family, his father was an amateur flutist, and had an important collection of old Choros. Pixinguinha grew up listening to his father's friends that usually gathered together to play in his house, among them very important Brazilian musicians as Heitor Villa-Lobos, who went there to listen to and to play the choros.

When Pixinguinha was 10 years old he was already playing with his father. He became a professional musician very early, and had a very proficuous and important career in Brazil. In 1919 he founded the first group of musicians, "OS OITO BATUTAS", that would play outside Brazil, and stayed for six months in Paris, in 1922.

Greeted as a flute player, a composer, and a conductor, he established the basis for the authentic Brazilian popular music composition, through his inventive harmonies, counterpoints, and improvisations.

After some years he started playing Saxophone, creating a very personal styling of playing it, and introducing it to the groups of Choros.

Apart from all his music, he is considered the most important composer for the Choro.

This edition brings some of the most beautiful and well-known pieces composed by Pixinguinha.

1897-1997 - A hundred years of Pixinguinha!

I thank the Irmãos Vitale Editores, that made possible this project.

Enjoy the music!

Maria José Carrasqueira

HOMENAGEM

Dedico esta obra a todos os músicos brasileiros, em especial aos chorões deste nosso Brasil. Aos pesquisadores e divulgadores de nossa música. Aos amantes da Música Brasileira.

A meu pai, ao tio Omar e ao seu Barão, pelas rodas de choro que ouvi desde pequena.

TRIBUTE

This work is dedicated to all Brazilian musicians, especially to the *chorões*. To the researchers and lovers of the Brazilian music.

To my father, João Dias Carrasqueira, uncle Omar and Mr. Barão, for the *rodas de choro* that I've listened to since I was a child.

AGRADECIMENTOS

A Irmãos Vitale Editores, que ao longo de tantos anos vem produzindo a documentação da música escrita no Brasil, exercendo um papel fundamental na História da Música Brasileira. Em especial a Fernando e Sérgio Vitale, porta-bandeiras desta nossa cruzada.

Ao Sr. Thomas Verna, incansável entusiasta, aos amigos Walfredo, Hamilton, Homero e Toninho, que sempre me ajudaram em minhas pesquisas de partituras.

A meu irmão, Antonio Carlos Carrasqueira, flautista, pesquisador, professor da USP, responsável pela revisão das melodias, ao amigo Edmilson Capelupi, violonista, um de nossos mais dignos chorões, que fez a atualização das cifras e ao amigo Sávio Araújo, também flautista e pesquisador, professor da UNICAMP, que fez a editoração gráfica e colaborou comigo na revisão final deste trabalho de resgate e preservação de nossas raízes musicais.

A meu pai João Dias Carrasqueira, flautista e compositor, que me ensinou a ouvir Bach e Pixinguinha com a mesma reverência, mostrando que não há barreiras na arte. Seu acervo de choros, copiados manualmente desde a década de 30, foi a semente para este trabalho.

A Isaías Bueno de Almeida, José Ramos Tinhorão e Leon Barg, pelo apoio.

Maria José Carrasqueira

ACKNOWLEDGEMENTS

I thank to Irmãos Vitale Editores that for many years have been providing a documentation of the music composed in Brazil. My special thanks to Fernando and Sérgio Vitale, and to the people who helped me on my research.

To my brother Antonio Carlos Carrasqueira, flautist, researcher and professor at USP, who made the revision of melodies; to my friend Edmilson Capelupi, guitar player, one of the most important *chorões* that worked on the harmony part, and to my friend Sávio Araújo, flautist and researcher, professor at UNICAMP, responsible for the editing.

To my father João Dias Carrasqueira, flautist and composer, who taught me to listen to Bach and Pixinguinha with the same respect, showing me that there are no bounds in true art. His private collection of *choros*, handwritten since 1930, was the seed for this work.

To Isaías Bueno de Almeida, José Ramos Tinhorão and Leon Barg.

Maria José Carrasqueira

REVISÃO

Esse trabalho de revisão foi baseado em gravações existentes, algumas delas com o próprio Pixinguinha; nas edições precedentes, de cunho do próprio mestre, na consulta a manuscritos e a chorões nossos amigos.

Em várias músicas colocamos sinais de articulação, ligando ou desligando aqui ou ali algumas notas de passagem. Quero esclarecer que isto é apenas uma sugestão, uma das formas possíveis de se tocar. É sempre bom lembrar que no choro, aliás como em toda a música popular brasileira, o espírito de liberdade, a criatividade, são elementos essenciais, fundamentais. Na música, como na dança, o brasileiro sempre expressou plenamente sua vocação para a liberdade. Pixinguinha aliás, representa como poucos esse espírito.

O maestro Radamés Gnatalli, outra personalidade importantíssima na nossa história, conta que certa ocasião, durante um ensaio, ouviu Pixinguinha tocar seguidamente, dezenas de vezes, uma mesma música, brincando e improvisando de tal forma que, sendo a mesma, era cada vez uma nova música e sempre linda.

Fico feliz por participar da edição deste verdadeiro tesouro da cultura brasileira, agora mais perto de todos, e felicito à Irmãos Vitale Editores pelo trabalho extremamente bem vindo!

Toninho Carrasqueira

As harmonizações foram elaboradas levando-se em consideração a atualização e a adequação das cifras utilizadas internacionalmente, procurando manter o gênero e o estilo imortalizados por Pixinguinha.

Edmilson Capelupi

ABOUT THIS EDITION

This revision was based on original copies, original records, some of them played by Pixinguinha, first editions, Pixinguinha's handwritings and collections of *choros* belonging to *chorões* our friends.

Some slurs and articulation signs were added, and I must explain that this is a suggestion, one of many possibilities of interpretation. It is always important to remind that in the *choro*, as in all Brazilian popular music, the spirit of freedom and creativity are essential elements. Through music and dance, Brazilian people have always expressed his spirit of liberty, and Pixinguinha represents this spirit.

Radamés Gnatalli, one of the most important personality of our music, tells us that during a rehearsal he listened to Pixinguinha playing the same tune many times, but always in a different way, and it seemed that he was playing a different music, always new and beautiful.

I'm happy to collaborate on this edition that is a real treasure of the Brazilian culture, and I greet to Irmãos Vitale Editores for this extremely welcome work!

Toninho Carrasqueira

The harmony parts were elaborated observing and considering the style that became celebrated by Pixinguinha.

Edmilson Capelupi

TO THE INTERPRETER

In this new edition we give some metronomic indications for each composition. The interpreter has always to consider that Brazilian music is most of all based on choreographic rhythms and lyrical melodies, and the *tempos* must always be flexible.

...um depoimento:

"PIXINGUINHA, meu amigo...:

Na década de 20 assisti a apresentação do extraordinário conjunto de música brasileira os "Oito Batutas", em um dos cinemas de bairro da cidade de São Paulo, precisamente na Lapa, onde moro há muitos anos.

Para mim foi o acontecimento mais bonito na época, além da "Semana de Arte Moderna" no Teatro Municipal, mais tarde.

Pixinguinha como estrela maior do grupo, ultrapassou toda a expectativa, extrapolando os limites da técnica, num virtuosismo esplendoroso. Com sua "ginga" inigualável eletrizou a platéia na magia de sua flauta, recebendo aplausos apoteóticos, principalmente quando das variações surpreendentes sobre o tema do "Urubu Malandro", resgatado por Pixinga.

Alguns anos depois convivi com ele no Rio de Janeiro -- Copacabana, Leblon, Leme, estações de rádios, ruas, morros e praias, em passeios memoráveis no seu "calhambeque", ovacionado por onde passava -- ídolo popular!

Depois sua flauta calou-se e deu lugar ao saxofone, com o qual ele gravou seus choros imortais em dueto com o grande flautista Benedito Lacerda.

Tive a felicidade de tocar com ele como convidado especial na Rádio Record, nos anos 50, em programas da grande música brasileira autêntica, representada pelos seus choros inesquecíveis em duetos de flauta e saxofone, com o regional de Armandinho Neves.

Pixinguinha, além de músico genial, era um ser humano admirável, privilegiado por Deus."

João Dias Carrasqueira
flautista e compositor

ÍNDICE

Abraçando Jacaré

Choro

Revisão: Antonio Carlos Carrasqueira
Cifra: Edmilson Capelupi

Pixinguinha

A vida é um buraco

Polca

Revisão: Antonio Carlos Carrasqueira
Cifra: Edmilson Capelupi

Pixinguinha

B7/D♯ E7 E7 E/D Am/C
A7 A/G Dm/F Dm Am/C
B7 E7 1. Am 2. Am
Ao 𝄋 e ⊕
⊕ C F F/A D7/F♯
Gm Gm Gm/F C7/E C7 C/B♭
F/A F C7/G F/A Cm/E♭ D7
Gm B♭ Bdim F/C D7 Gm7 C7
1. F 2. F
Ao 𝄋 e ⊕ Final
⊕ C C

Agradecendo

Valsa

Revisão: Antonio Carlos Carrasqueira
Cifra: Edmilson Capelupi

Pixinguinha

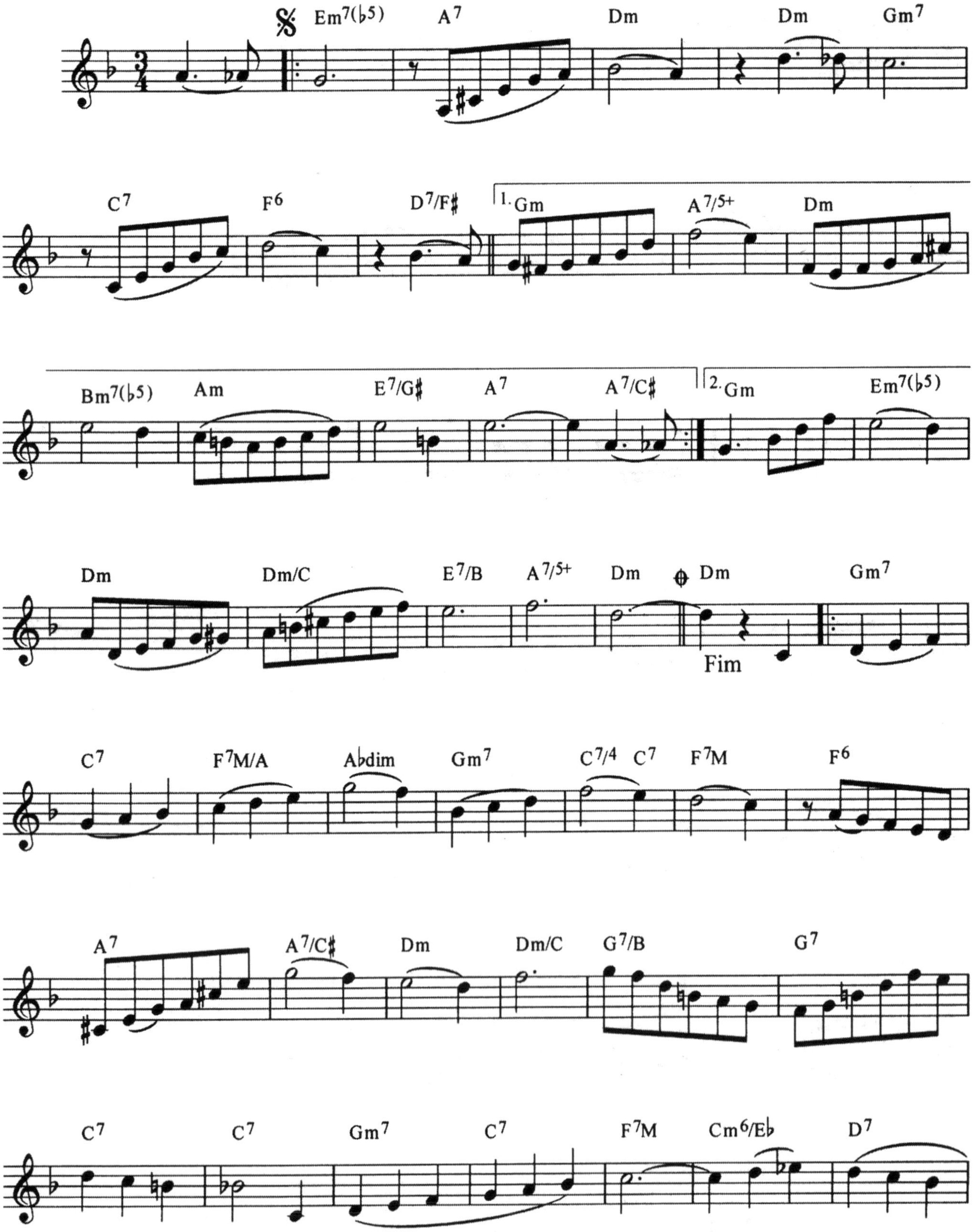

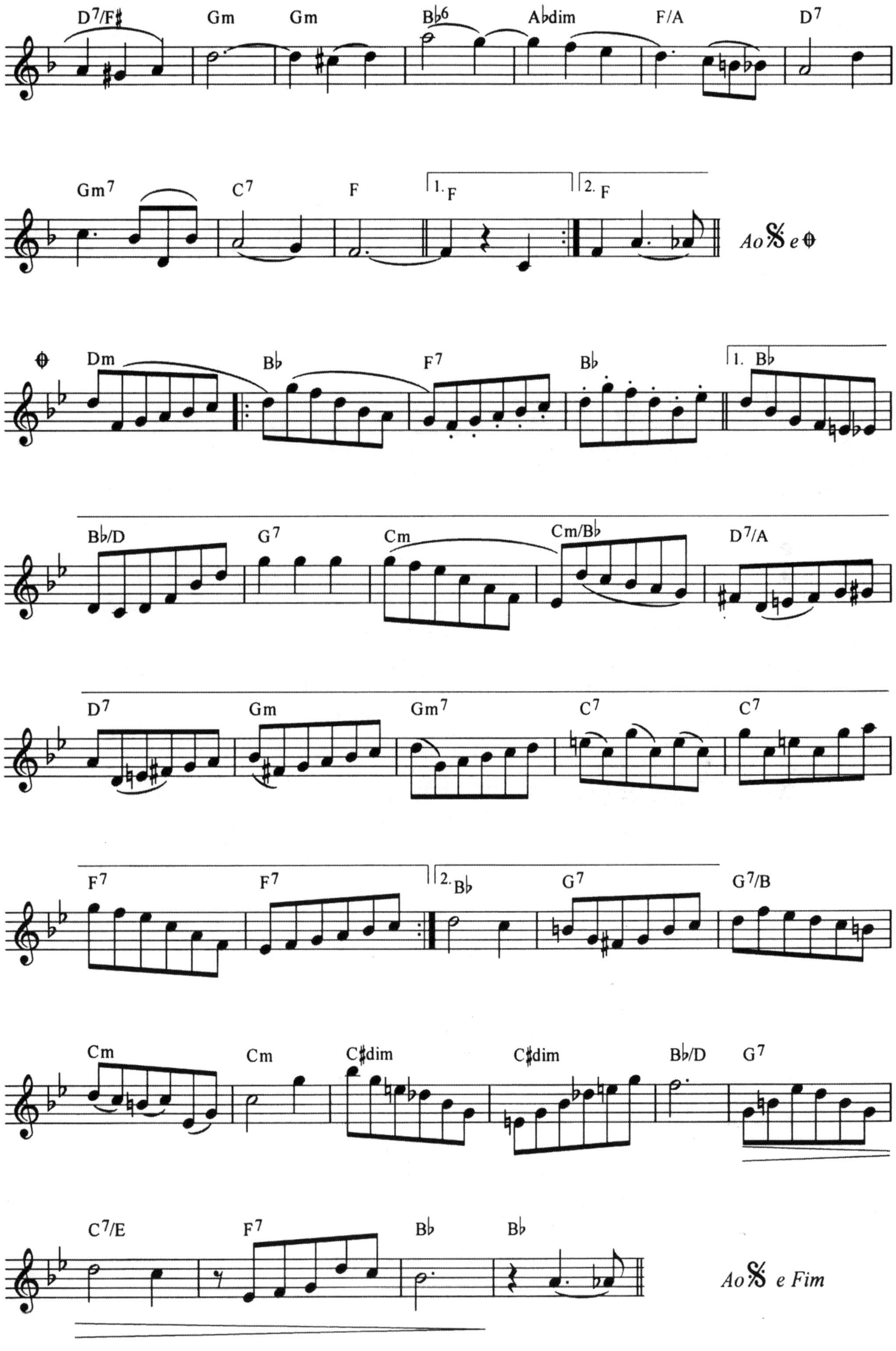
D7/F♯ Gm Gm B♭6 A♭dim F/A D7
Gm7 C7 F 1. F 2. F
Ao 𝄋 e 𝄌
𝄌 Dm B♭ F7 B♭ 1. B♭
B♭/D G7 Cm Cm/B♭ D7/A
D7 Gm Gm7 C7 C7
F7 F7 2. B♭ G7 G7/B
Cm Cm C♯dim C♯dim B♭/D G7
C7/E F7 B♭ B♭
Ao 𝄋 e Fim

Ainda me Recordo

Choro

Revisão: Antonio Carlos Carrasqueira
Cifra: Edmilson Capelupi

Pixinguinha e Benedito Lacerda

Am C7 F A7 Dm D7 Gm D7
Gm Gm G♯dim F/A A♭dim C7/G
D7/F♯ Gm Bdim F/C D7 Gm7 C7
F D7 Gm7 C7 Fm A♭7 D♭7 C7
Fm Fm/E♭ G7/D B♭m6/D♭ C7 Fm
E♭7 A♭ D♭7 C7
F7/A B♭7 E♭7/G A♭
A♭/G♭ D♭/F D♭7 C7 Fm

C♯7 C7 Fm C♯7 C7 Fm E♭7
A♭ E♭7/G G♭6 D♭/F D♭m6/F♭
A♭/E♭ B♭7/D E♭ D♭7 C7 Fm Fm/E♭
G7/D B♭m6/D♭ C7 C/B♭ F7/A B♭m Fm
G7 C7 F D7 Gm7 C7 F D7
Gm7 C7
Do 𝄋 ao ⊕
F F♯ G G♯
A B♭ C7 F
F F F F

Atencioso

Choro

Revisão: Antonio Carlos Carrasqueira
Cifra: Edmilson Capelupi

Pixinguinha

Ande Ligeiro

Choro

Revisão: Antonio Carlos Carrasqueira
Cifra: Edmilson Capelupi

Pixinguinha

Dm E7 A7 D7/F♯
Gm Em7(♭5) Dm Dm/C B♭7 A7 1. Dm A7 2. Dm
Ao 𝄋 e ⊕
⊕ F B♭ F7/C B♭/D B♭ Gm
Cm F7 Cm Cm7M Cm7 F7
B♭ F7 B♭ F7/C B♭/D G7/B
Cm G♭ G♭7 F7
1. B♭ 2. B♭
Ao 𝄋 e ❉
❉ F

Bom senso

Samba-Canção

Revisão: Antonio Carlos Carrasqueira
Cifra: Edmilson Capelupi

Pixinguinha
letra: Fábio de Oliveira

I

Assino o termo legal de compromisso
Realmente pra casos assim existe um juiz
Não quero dormir intranquilo e acordar soluçando
Sabendo que meu ex-amor
Vive a chorar por ser tão infeliz
Tivemos nossa fase tão amiga
Nosso amor era tão puro e tão invejado
Até que alguém por vingança
Através de uma intriga
Desfez por maldade ou prazer
Nosso sonho sonhado.

II

À cata de carinho, perambulo por aí
Mendigando um beijo sem sal
Um beijo em vão
Às vezes sou até criticado pelos amigos
Que não sabem da intriga fatal
Que causou nossa separação
Nosso caso não foi o primeiro
Se é proibido pecar eu pequei
Mas não nego o apoio moral
A quem eu tanto amei.

As Proesas de Nolasco

Choro

Revisão: Antonio Carlos Carrasqueira
Cifra: Edmilson Capelupi

Pixinguinha

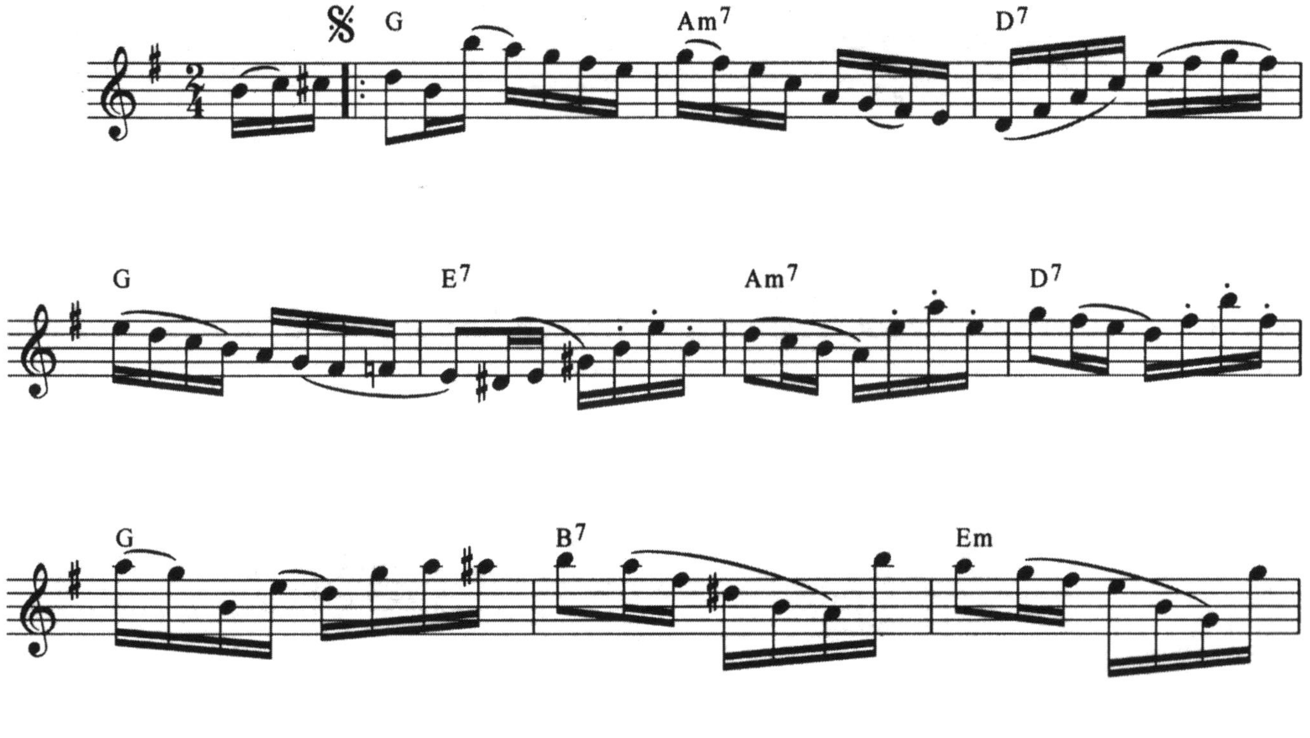

F♯7 F♯7/A♯ Bm C♯7 F♯7 A7
A7/9 D F♯7 Bm
G♯dim D/A B7 Em7 A7 1. D
2. D
D.C. ao 𝄋 e 𝄌
𝄌 G
C Dm7 G7 C
E7 Am7 B7 Em G7 Dm7 G7
C Gm6/B♭ A7 Dm7 D♯dim
C/E A7 Dm7 G7 1.C 2. C
D.C. ao 𝄋 e Fim

Canto em Rodeio

Choro

Revisão: Antonio Carlos Carrasqueira
Cifra: Edmilson Capelupi

Pixinguinha

Cascatinha

Maxixe

Revisão: Antonio Carlos Carrasqueira
Cifra: Edmilson Capelupi

Pixinguinha

Carinhoso

Choro Canção

Revisão: Antonio Carlos Carrasqueira
Cifra: Edmilson Capelupi

Pixinguinha
letra: João de Barro

BIS

Meu coração
Não Sei porque,
Bate feliz
Quando te vê...
E os meus olhos ficam sorrindo,
E pelas ruas vão te seguindo,
Mas mesmo assim,
Foges de mim!

Ah! se tu soubesses como eu sou tão carinhoso,
E o muito e muito que te quero!...
E como é sincero o meu amor
Eu sei que tu não fugirias mais de mim!
Vem, vem, vem,
Vem sentir o calor
Dos lábios meus
A procura dos teus,
Vem matar esta paixão
Que me devora o coração
E só assim, então,
Serei feliz,
Bem feliz.

Cheguei

Maxixe

Revisão: Antonio Carlos Carrasqueira
Cifra: Edmilson Capelupi

Pixinguinha e Benedito Lacerda

Chorando sempre

Choro

Revisão: Antonio Carlos Carrasqueira
Cifra: Edmilson Capelupi

Pixinguinha

Chorei...

Choro

Revisão: Antonio Carlos Carrasqueira
Cifra: Edmilson Capelupi

Pixinguinha e Benedito Lacerda

E7/G♯
A7
D7/F♯
G7
C7
F
D7
Gm
Em7(♭5)
Dm
E7/G♯
A7
1. Dm
2. Dm
Do 𝄋 ao ⊕
F
B♭
F/A
E♭/G
E♭7
D7
E♭
C♯dim
B♭/D
C7
F7
B♭
F/A
Gm
E♭7
D7
E♭
C♯dim
B♭/D
G7
C7
F7
1. B♭
2. B♭
Do 𝄋 ao ❋
F

Concerto de baterias

Revisão: Antonio Carlos Carrasqueira
Cifra: Edmilson Capelupi

Pixinguinha

32
Regional adlib.
F C7 F C7
F C7 F C7 F
C7 F C7 F
C7 C/B♭ F/A C7 C/B♭ F/A
F7 B♭ F7 B♭ F7
B♭ F7 B♭ C7 F
C7 F C7 F Gm7 F/A B♭m7 Gm7 C7
F F F F F F

Cuidado, Colega

Choro Seresteiro

Revisão: Antonio Carlos Carrasqueira
Cifra: Edmilson Capelupi

Pixinguinha e Benedito Lacerda

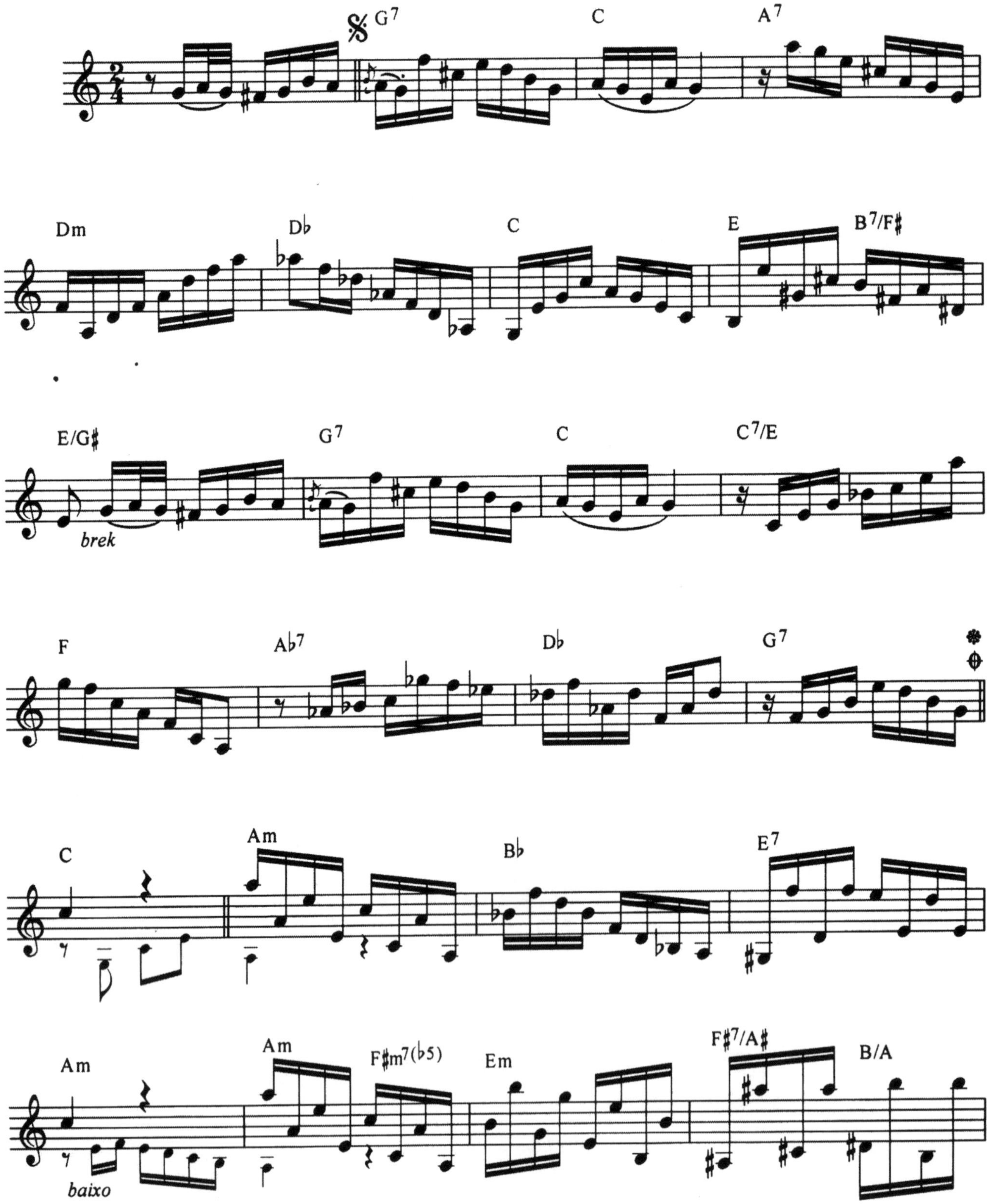

E7/G♯ E7 Am B♭ E7
A7 B♭ Am Dm/F E7
Am brek Do 𝄋 ao 𝄌 C F D7/F♯
Gm A7 D7/F♯ G7 G7/B Cm Am7(♭5) Gm/B♭ Gm6
D/F♯ A7 D E♭ D D♭ F/C Bdim
C/B♭ G7/B C/B♭ F7/A F7 B♭m6 F D7
B♭m6/D♭ C7 F brek Do 𝄋 ao ❉ C C

Descendo a Serra

(Subindo a Serra)

Choro Ligeiro

Revisão: Antonio Carlos Carrasqueira
Cifra: Edmilson Capelupi

Pixinguinha e Benedito Lacerda

A7 D7 G E7 Am
Bm Em Cm6 G/B E7
Am7 D7 1. G 2. G
Ao 𝄋 e ⊕
C F F F
Gm Gm7 C7 C7
F F Cm7 F7 B♭
C♯ F D7 Gm7 C7 1. F
2. F
Ao 𝄋 e ❄
C Fm6 G7 C

Choro de gafieira

Revisão: Antonio Carlos Carrasqueira
Cifra: Edmilson Capelupi

Pixinguinha

Desprezado

Choro Canção

Revisão: Antonio Carlos Carrasqueira
Cifra: Edmilson Capelupi

Pixinguinha

* Sugestão do revisor

Destino da rosa

Valsa

Revisão: Antonio Carlos Carrasqueira
Cifra: Edmilson Capelupi

Pixinguinha

Devagar e sempre

Choro

Revisão: Antonio Carlos Carrasqueira
Cifra: Edmilson Capelupi

Pixinguinha e Benedito Lacerda

Diabólica

Choro

Revisão: Antonio Carlos Carrasqueira
Cifra: Edmilson Capelupi

Pixinguinha

G7 C A7 D7
Fm6 C/E G7 1. C
2. C
Ao 𝄋 e 𝄌
F Cm7 F7
B♭ G7/B Cm Cm/E♭ C7/E
B♭/F Cm7 F7 B♭ Cm7 F7
B♭ D7 G7 G7/B Cm E♭m/G♭
B♭ Gm7 Cm F7 1. B♭ 2. B♭
Ao 𝄋 e Fim

Dininha

Valsa

Revisão: Antonio Carlos Carrasqueira
Cifra: Edmilson Capelupi

Pixinguinha e Benedito Lacerda

Dominó

Choro

Revisão: Antonio Carlos Carrasqueira
Cifra: Edmilson Capelupi

Pixinguinha

Ao 𝄋 e Fim

Ele e Eu

Polca Choro

Revisão: Antonio Carlos Carrasqueira
Cifra: Edmilson Capelupi

Pixinguinha e Benedito Lacerda

A7 D7/F♯ G/F C7/E
F Em7(♭5) A7 Dm Dm/C E7/B A7
1. Dm 2. Dm
Do 𝄋 ao ⊕
F
B♭ Cm G7/B Cm
C♯dim B♭/D C7/E F7
B♭ D7/F♯ Ddim Cm/E♭
F♯7 B♭ G7 C7 F7 1. B♭
2. B♭
Do 𝄋 ao ✽
F

É isso mesmo

Choro

Revisão: Antonio Carlos Carrasqueira
Cifra: Edmilson Capelupi

Pixinguinha

Fonte abandonada

Valsa

Revisão: Antonio Carlos Carrasqueira
Cifra: Edmilson Capelupi

Pixinguinha

Gargalhada*

Shottish

Revisão: Antonio Carlos Carrasqueira
Cifra: Edmilson Capelupi

Pixinguinha

* Em homenagem ao grande flautista Altamiro Carrilho - 13.11.1953

E7 E7/G♯ Am A7/C♯ Dm
E7 A7 A7/G♯ B♭
Am Am/G F E7 1 Am E7
2. Am G7
Do 𝄋 ao 𝄌
C G7 C F F♯dim
G7 B♭m6/D♭ C7 C7/E F C7 F G7
C A7 D7 G7 B♭m6/D♭ C7
Cm6/E♭ D7 G7 A7
Dm D♭ F/C D7
G7 C7 1. F C7 F 2. F C7 F G7
Ao 𝄋 e ❉
C G7 C

Homenagem à flor margarida

Marcha-Rancho

Revisão: Antonio Carlos Carrasqueira
Cifra: Edmilson Capelupi

Pixinguinha
letra: Fábio de Oliveira

I

BIS
Lá iá Lá Lá iá
Lá iá Lá Lá iá Lá
Lá iá Lá Lá iá

II

Eu escolhi a margarida
Entre as flores
Não é por nada
Mas não vivo de ilusões

BIS
A rosa já tem muitos namorados
E eu prefiro evitar complicações

III

A margarida já não tem tanta vaidade
Só vai à festa
Quando é mesmo convidada
Com a rosa, isso já não acontece
Mesmo que não queira
Ela é sempre lembrada
Fui ao jardim, pedi licença às outras flores
Falei com a rosa e ela abriu mão

BIS
Da homenagem que prestei à margarida
Por ela ser a minha eterna preferida

BIS
Lá iá Lá Lá iá
Lá iá Lá Lá iá Lá
Lá iá Lá Lá iá Lá

Ingênuo

Choro Canção

Revisão: Antonio Carlos Carrasqueira
Cifra: Edmilson Capelupi

Pixinguinha e Benedito Lacerda
letra: Paulo César Pinheiro

Eu fui ingênuo
Quando acreditei no amor
Mas pelo menos
Jamais me entreguei à dor
Chorei o meu choro primeiro
Eu chorei por inteiro
Prá não mais chorar
O meu coração permaneceu sereno
Expulsando o veneno
Pelo meu olhar
Eu procurei me manter como Deus mandou
Sem me vingar
Que a vingança não tem valor
E depois também
Perdoar a quem erra
É ser perdoado na terra
Sem ter que pedir perdão ao céu.

Eu não quis resolver
Eu não quis recusar
Mas do amor em ruína
Uma força termina por nos dominar
E depois proteger
Dos abismos que a vida traçar
Quando o tempo virar
O único mal
E a solidão começa a ser fatal
Eu não quis refletir, não
Eu não quis recusar, não
Eu não quis reprimir, não
Eu não quis recear
Porque contra alguém nada fiz
Eu só quero algum dia
Ser feliz como eu sou infeliz.

Generoso

Choro

Revisão: Antonio Carlos Carrasqueira
Cifra: Edmilson Capelupi

Pixinguinha

Joaquim virou padre

Choro

Revisão: Antonio Carlos Carrasqueira
Cifra: Edmilson Capelupi

Pixinguinha

Lamentos

Choro

Revisão: Antonio Carlos Carrasqueira
Cifra: Edmilson Capelupi

Pixinguinha
letra: Vinícios de Moraes

Morena
Tem pena
Mas ouve o meu lamento
Tento em vão
Te esquecer
Mas olhe o meu tormento é tanto
Que eu vivo em pranto e sou todo infeliz
Não há coisa mais triste meu benzinho
Que esse chorinho que eu te fiz...

Sozinha
Morena
Você nem mais tem pena
Ai meu bem
Fiquei tão só
Tem dó, tem dó de mim
Porque estou triste assim por amor de você
Não há coisa mais linda neste mundo
Que meu carinho por você.

Minha vez

Polca

Revisão: Antonio Carlos Carrasqueira
Cifra: Edmilson Capelupi

Pixinguinha

Am Am/G Dm6/F E7 1. Am 2. Am Ab7 G7
D.C. e ⊕
⊕ C C7 C7 Gm Eb C7/E
F Abdim F/A Abdim F/A
D7/F# Gm D7/A Gm/Bb D7/A Gm Eb
C7/E C7 C/Bb C7/G F F
F F E7 E7/G# Eb Eb D7 D7/F# D7 Db7
D7 F/C F7/A Bb Bb
G7/B C/Bb 1. F/A C7/G 2. F F# G7
D.C. e 2º ⊕
2º⊕ C C Ab G7 C

Naquele Tempo

Choro Serenata

Revisão: Antonio Carlos Carrasqueira
Cifra: Edmilson Capelupi

Pixinguinha e Benedito Lacerda
letra: Fábio de Oliveira

cê nun - ca me quis E_a - in - da dis - se pra al - guém Que_eu era_um in - feliz Na - que - le
tem - po ha - vi - a to - ca - tas Ro - man - ces, se - res - tas, tam - bém ao lu - ar Al - guém con - tou pra mim Que
viu vo - cê cho - rar Naque - la noi - te que_eu can - tei Cho - ri - nhos e can - ções Com flau - ta ca - va - qui - nho e vio
lões Na que - le lões Eu
Ao 𝄋 e 𝄌
lhar O tem - po foi Tu - do pas - sa Eu tam
bém A - go - ra já não so - fro mais Já te - nho_um gran - de_amor Pra a - cal - mar mi - nha dor A - me - ni
zar meu so - frer E es - cu - tar os meus ais Vo - cê fi - cou Sem nin - guém Pois des - pre
zou A_quem tanto lhe quis Tu - do_a - ca - bou E ho - je sou fe
liz liz Eu
Ao 𝄋 e ❄
lhar

Naquele Tempo

Choro Serenata

Música de Pixinguinha e Benedito Lacerda
Letra de Fábio de Oliveira

I

Eu sempre lhe amei
Eu sempre lhe adorei
Eu sempre almejei
Um dia ver você feliz
Fiz tudo, carreguei
A minha cruz com retidão
Apenas pra ganhar seu coração
Mas tudo foi em vão... porque
Sofri sem reclamar
Sorri pra não chorar
Curti a minha dor
por desejar o seu amor
Ficava na esquina a lhe esperar
Porém, você passava
Sem ao menos me olhar

II

Naquele tempo você tinha tudo
Beleza, riqueza, lábios sensuais
Malícia no olhar
Charmosa até demais
Eu quis lhe conquistar
Você nunca me quis
E ainda disse pra alguém
Que eu era um infeliz
Naquele tempo havia tocatas
Romances, serestas, também ao luar
Alguém contou pra mim
Que viu você chorar
Naquela noite que eu cantei
Chorinhos e canções
Com flauta, cavaquinho e violões

III

O tempo foi
Tudo passa
Eu também
Agora já não sofro mais
Já tenho um grande amor
Pra acalmar minha dor
Amenizar meu sofrer
E escutar os meus ais
Você ficou
Sem ninguém
Pois desprezou
A quem tanto lhe quis
Tudo acabou
E hoje sou feliz.

Não vou nessa

Choro

Revisão: Antonio Carlos Carrasqueira
Cifra: Edmilson Capelupi

Pixinguinha

Os 8 Batutas

Choro

Revisão: Antonio Carlos Carrasqueira
Cifra: Edmilson Capelupi

Pixinguinha e Benedito Lacerda

A E7/B A7/C♯ A7 D
D/C G/B Gm/B♭ D/F♯ Fdim
Em7 A7 1. D 2. D
Do 𝄋 ao ⊕
G C E7/B Am A/G D7/F♯ G7
C C C♯dim Dm7 Dm7 D♯dim
C/E C E7/B Am A7/C♯ D7 G7
Gm6/B♭ A7 Dm Fm6 C/E D7 G7
1. C 2. C
Do 𝄋 e ❋
G

Oscarina

(Saudades do Monteiro)

Valsa

Revisão: Antonio Carlos Carrasqueira
Cifra: Edmilson Capelupi

Pixinguinha e Benedito Lacerda

A♭dim Gm Gm/F C7/E C7 F C7
F F♯dim Gm Gm7 C7 C7 A♭dim
F/A Cm7 F7 B♭ B♭m6 F/A G7 C7
F F F Do 𝄋 ao ⊕ Dm
Dm D Fdim D/F♯ A7 D/F♯ B7
D♯dim Em Em7 A7 Em7 A7(♭9)
Em7 A7 Em7 Gm6 A7 D Fdim D/F♯
D Am7 D7 Gm Gm B♭7 A♭dim D/A
Bm7 E7 A7 D D
D Do 𝄋 ao ❉ Dm Dm

Pagão

Choro

Revisão: Antonio Carlos Carrasqueira
Cifra: Edmilson Capelupi

Pixinguinha e Benedito Lacerda

F/A D7 Gm7 C7 1. F 2. F
Ao 𝄋 e 𝄌
Dm D D6 D Em7
F♯7 Bm7 E7/9 A7 D
D B7/D♯ Em Gm6 D/F♯ B7
E7/9 A7 D D6 D
D6 Em F♯7 Bm7
E7/9 A7 D D B7/D♯
Em Gm6 D/F♯ B7 E7/9 A7 1. D
2. D
Ao 𝄋 e ❉
Dm Dm Dm Dm

Parangolé

Maxixe

Revisão: Antonio Carlos Carrasqueira
Cifra: Edmilson Capelupi

Pixinguinha

E7/G♯ E7 Am A7/C♯
Dm Bm7(♭5) Am B7 E7
1. Am 2. Am
Ao 𝄋 e 𝄌
𝄌 C
F E♭ D♭ G7 C7 F/A A♭dim Gm7 C7
A7/C♯ D7 G7 C7
F E♭ D♭ G7 C7 F7 B♭
B♭ Bdim F/C C7 F
E7 Am7 D7 Gm7 C7 1. F
2. F
Ao 𝄋 e 2º 𝄌
2º 𝄌 C C

Passa Tempo

Choro

Revisão: Antonio Carlos Carrasqueira
Cifra: Edmilson Capelupi

Pixinguinha

G7 C Dm Bm7(♭5) Am
F7 E7 1. Am 2. Am
Ao 𝄋 e ⊕
⊕ C F C7 F F/A A♭dim
Gm A7 Dm G7
C7 F C7/E F/A F7
B♭ D♭ F/C C♯5+ B♭/D C7/E
1. F 2. F
Ao 𝄋 e ✽
✽ C

Os Cinco Companheiros

Revisão: Antonio Carlos Carrasqueira
Cifra: Edmilson Capelupi

Pixinguinha

Jurando Falso

Samba

Revisão: Antonio Carlos Carrasqueira
Cifra: Edmilson Capelupi

Pixinguinha

Quem é você

Choro

Revisão: Antonio Carlos Carrasqueira
Cifra: Edmilson Capelupi

Pixinguinha

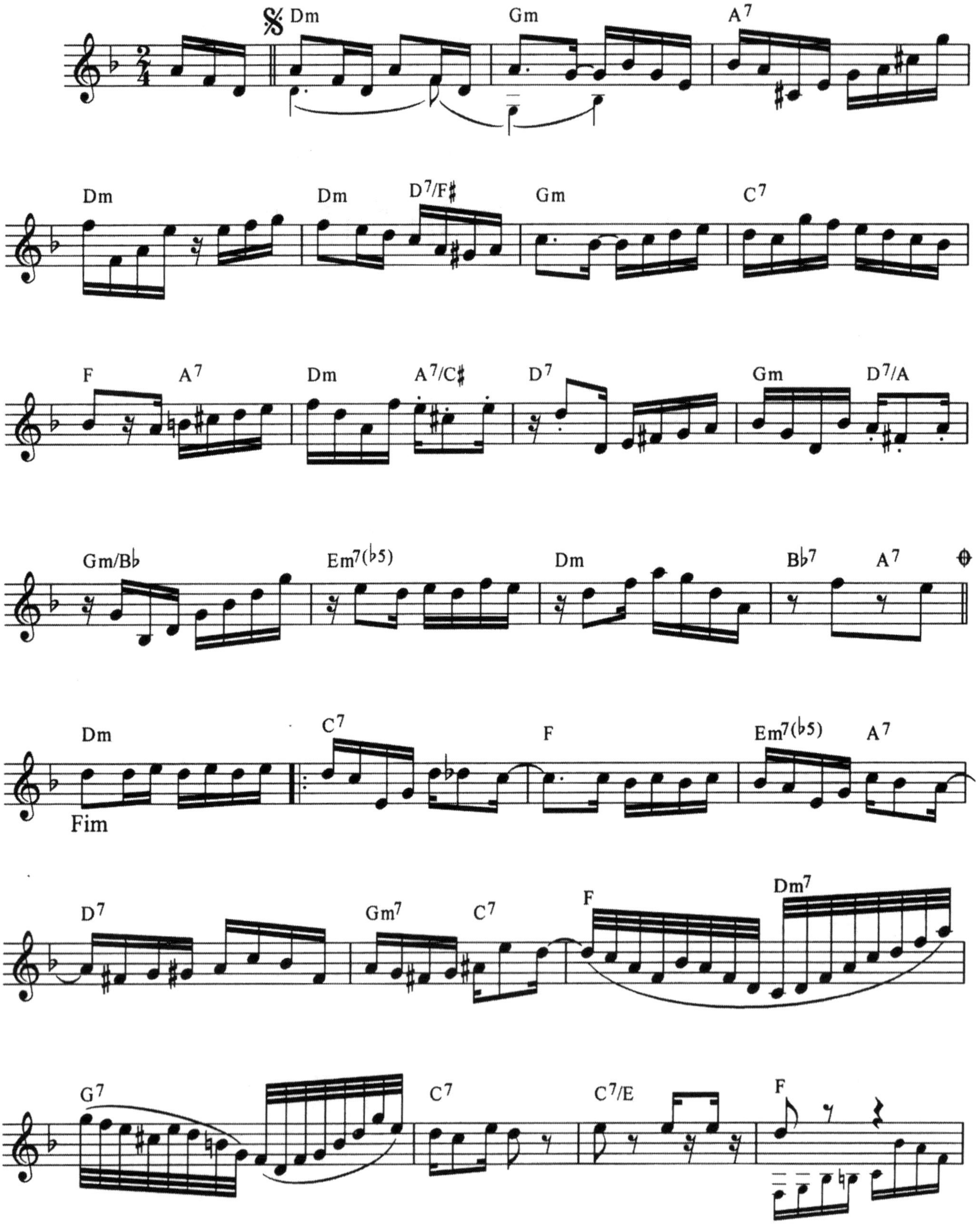

A7 Dm B♭ A♭dim F/A A♭dim
C7/G D7 Gm G♯dim F/A
G7 C7 1. F 2. F Dm A7
Dm Ao 𝄋 e ⊕ ⊕ Dm B♭ B♭
B♭ Cm7 D7 Gm
D A7/E D/F♯ F7 B♭ B♭7
B♭7/D E♭ E♭m6/G♭ B♭/F Gm7
Cm7 F7 1. B♭ 2. B♭
Ao 𝄋 e Fim

Rir pra não chorar

Choro

Revisão: Antonio Carlos Carrasqueira
Cifra: Edmilson Capelupi

Pixinguinha

C♯7 F♯7 F♯7/A♯ Bm
A7 D6 B7/D♯ Em A7 D6 D/F♯
C♯/E♯ F♯7 1. Bm 2. Bm
Ao 𝄋 e ⊕
D G6 B♭dim G/B G♯dim
Am7 C7 B7 B7/D♯ Em7 A7/9
Am7 D7 G6 Dm7 G7 G7/5+
C7M Cm6 G/B E7 A7 D7
1.G 2.G
Ao 𝄋 e ⊕ Final
D

Saudação

Choro-Canção

Revisão: Antonio Carlos Carrasqueira
Cifra: Edmilson Capelupi

Pixinguinha
letra: Providencia

Era uma tarde de sol
Rodeado de amigos seus
Entre Flauta e Violões
Em sua cadeira sentado
Sob a sombra de um botequim
Todos em sua homenagem
Brindavam os copos
E "Pixinga" também o seu.
Foi nesse momento enfim
Que ele pegou a caneta
E numa pauta escreveu

Logo depois me pediu
Pra tocar...
Esta canção que acabam de ouvir
Tudo era grande emoção
Ao ver nascer do poeta
Mais uma canção...

Segura Ele

Choro Ligeiro

Revisão: Antonio Carlos Carrasqueira
Cifra: Edmilson Capelupi

Pixinguinha e Benedito Lacerda

B7 E7 A7/C♯ Dm
G7/B C Dm Am
B7/F♯ E7/G♯ 1.Am 2.Am
Ao 𝄋 e 𝄌
C F F F
Gm Gm Gm/F C7/E C7 C/B♭
F/A F A7/E Dm F7/C B♭ D7/A
Gm B♭m6 F/A D7 Gm7 C7
1.F 1.F
Ao 𝄋 e ❉
C

Seu Lourenço no Vinho

Choro

Revisão: Antonio Carlos Carrasqueira
Cifra: Edmilson Capelupi

Pixinguinha e Benedito Lacerda

B7/D♯ E7 G7 C
E7/G♯ A7 Dm Am F7
B♭ E7 1.Am 2.Am
Do 𝄋 ao ⊕
C F F/A F
Gm A7 Dm A E7/G♯
A D7/F♯ Gm G7/B C7
baixo
F D♭ Ddim B♭m6/D♭ F Gm7 C7
1. F 2. F
Do 𝄋 ao ✽
C

Só pra mim

Choro

Revisão: Antonio Carlos Carrasqueira
Cifra: Edmilson Capelupi

Pixinguinha

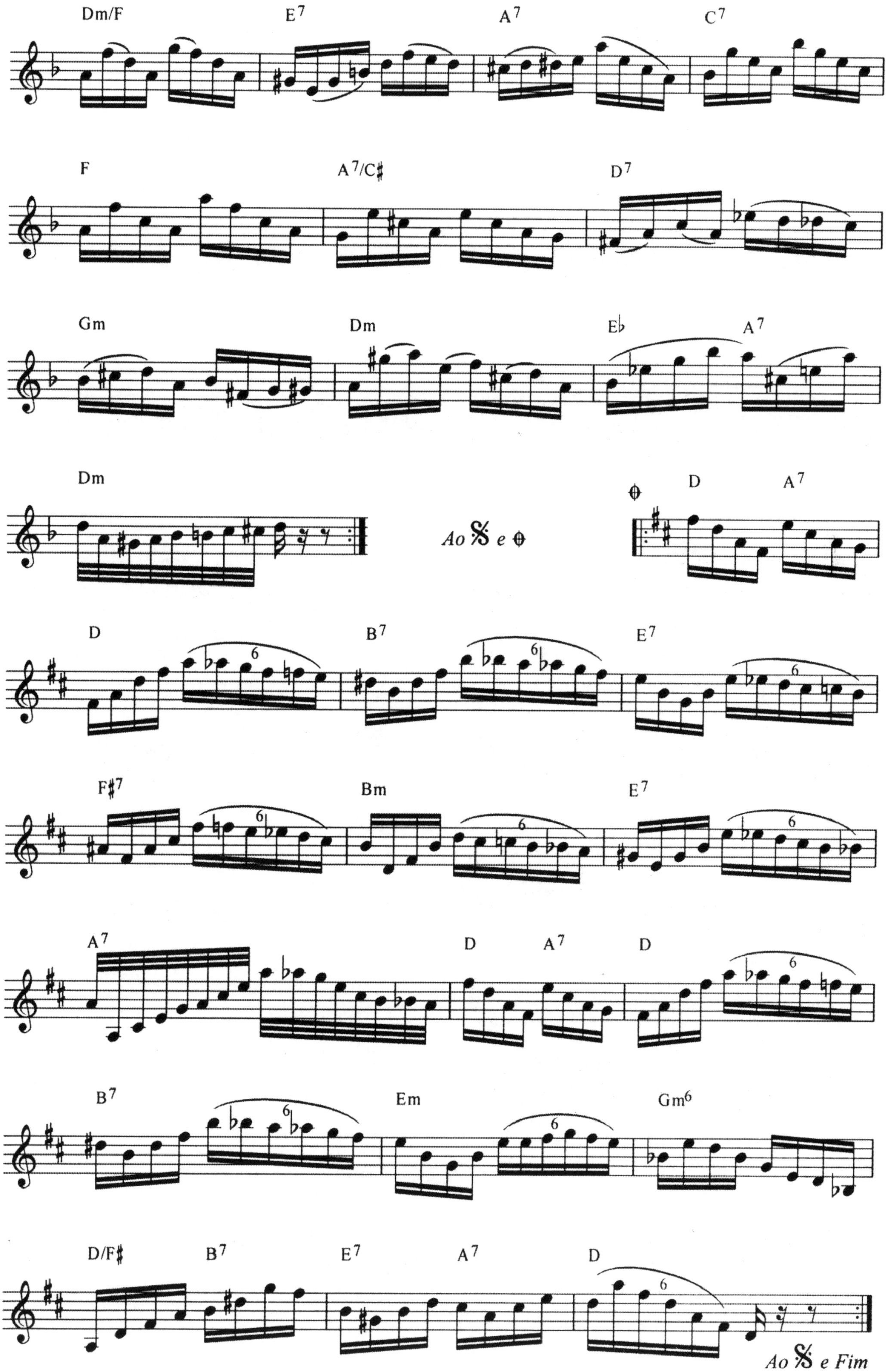
Dm/F E7 A7 C7
F A7/C♯ D7
Gm Dm E♭ A7
Dm
Ao 𝄋 e 𝄌
𝄌 D A7
D B7 E7
F♯7 Bm E7
A7 D A7 D
B7 Em Gm6
D/F♯ B7 E7 A7 D
Ao 𝄋 e Fim

Sofres Porque Queres

Choro Melódico

Revisão: Antonio Carlos Carrasqueira
Cifra: Edmilson Capelupi

Pixinguinha e Benedito Lacerda

G G C♯dim C♯dim D7 D/C
B♭dim G/B G7 G7 Cm Cm
G G/D C♯dim D/C G/B
Do 𝄋 ao ⊕
F F7M
F7 B♭m B♭m B♭m Bdim F/C
F/A Fm Fm/E♭ B♭m/D♭ B♭m G7/B G7 C7
Bdim C7 F F7 C♯dim B♭/D D7/F♯ D7
Gm Gm B♭ A♭dim F/A D7
G7 C7 F
D.C. 𝄋 e ❉
C

Soluços

(Proesas do Nelson)

Choro Triste

Revisão: Antonio Carlos Carrasqueira
Cifra: Edmilson Capelupi

Pixinguinha e Benedito Lacerda

E7/B A7/C♯ Dm C7 F A7
D7 G7/B Am E7/G♯
A7 A7/C♯ Dm D7/F♯ Gm G7/B C7 F
G♭ F C♯5+ B♭/D C7/E 1. F 2. F A7
Do ao
Dm D A7/E D/F♯ B7 E7/G♯
F♯7/A♯ Bm7 E7 A7 D A7/E
D/F♯ B♭ A G D/F♯ B7
Em7 A7 1. D 2. D A7
Do ao
Dm
Fim

Tico

Valsa

Revisão: Antonio Carlos Carrasqueira
Cifra: Edmilson Capelupi

Pixinguinha

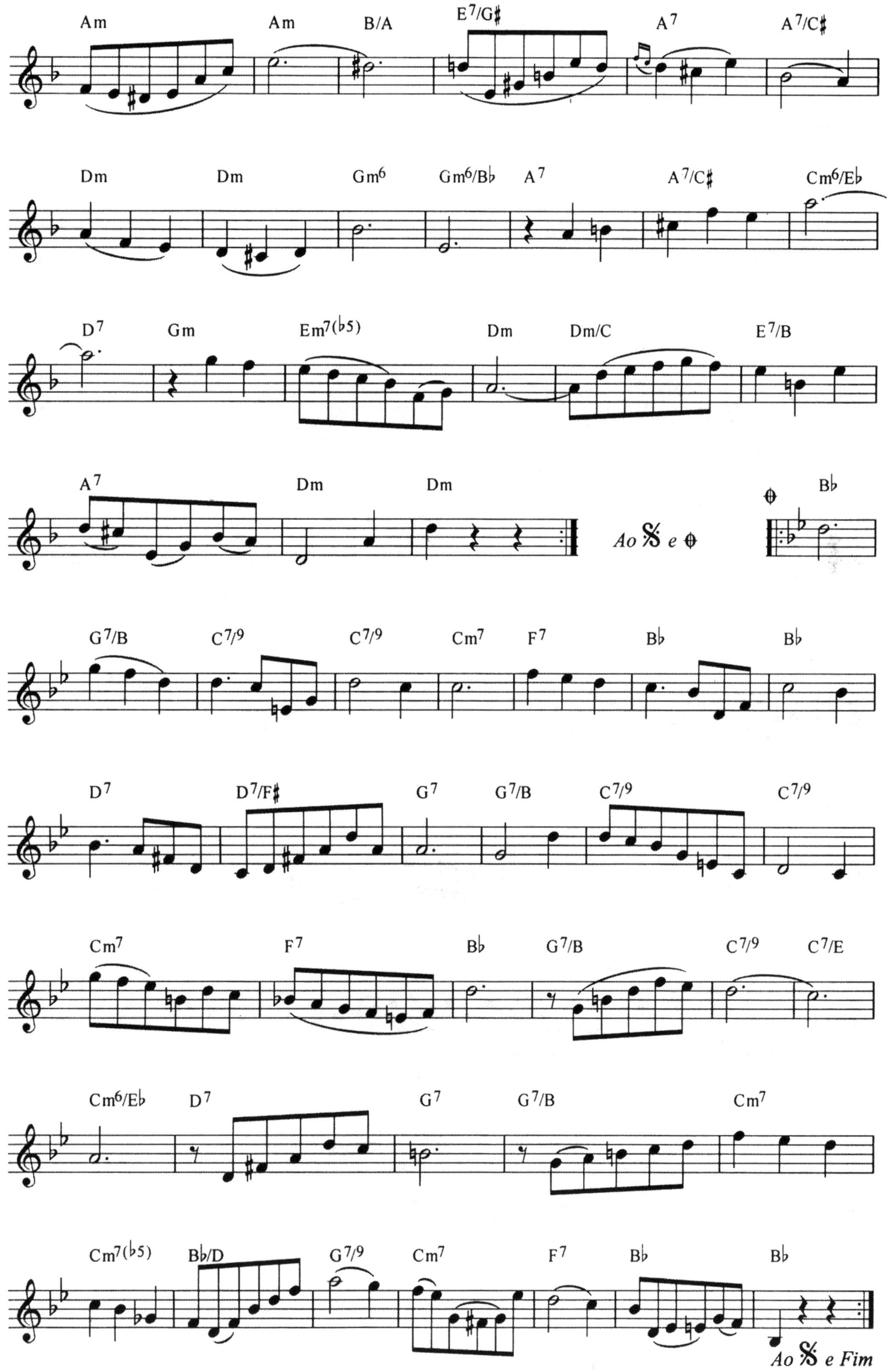
Am Am B/A E7/G♯ A7 A7/C♯
Dm Dm Gm6 Gm6/B♭ A7 A7/C♯ Cm6/E♭
D7 Gm Em7(♭5) Dm Dm/C E7/B
A7 Dm Dm B♭
Ao 𝄋 e 𝄌
G7/B C7/9 C7/9 Cm7 F7 B♭ B♭
D7 D7/F♯ G7 G7/B C7/9 C7/9
Cm7 F7 B♭ G7/B C7/9 C7/E
Cm6/E♭ D7 G7 G7/B Cm7
Cm7(♭5) B♭/D G7/9 Cm7 F7 B♭ B♭
Ao 𝄋 e Fim

Tô fraco

Choro

Revisão: Antonio Carlos Carrasqueira
Cifra: Edmilson Capelupi

Pixinguinha

Recordações de Emiliana

Choro

Revisão: Antonio Carlos Carrasqueira
Cifra: Edmilson Capelupi

Pixinguinha

Trombone atrevido

Choro

Revisão: Antonio Carlos Carrasqueira
Cifra: Edmilson Capelupi

Pixinguinha

Bm7(b5) Am/C B7 E7
Bm7(b5) E7/G# Am C7 F
Bm7(b5) Am Bb E7 Am
Ao 𝄋 e 𝄌
𝄌 C F Abdim C7/G
F A7/C# D7 G7/B
C7 D7 D7/F# Gm7 C7
F Bb Bdim F D7 Gm7 C7
1. F
2. F G7
Ao 𝄋 e 𝄌 Final
𝄌 C

Regra três

Choro

Revisão: Antonio Carlos Carrasqueira
Cifra: Edmilson Capelupi

Pixinguinha

Teu Aniversário

Recordando

Revisão: Antonio Carlos Carrasqueira
Cifra: Edmilson Capelupi

Pixinguinha

Um a Zero

Choro Vivo

Revisão: Antonio Carlos Carrasqueira
Cifra: Edmilson Capelupi

Pixinguinha e Benedito Lacerda

G/B D7/A G7 G7 C
C♯dim G Am7 D7 G G7
C G7 C7 C/B♭ F/A Fm/A♭ C/G D7
G7 G7 C G7/D
A7/C♯ Dm Fm6 C/E D7 G7 C
F F F Gm7 Gm7
C7 C7/E F F Cm6/E♭ D7 Cm6
D7/A D7/F♯ Gm7 Bdim F/C D7 Gm7 C7
1. F 2. F
Do ao
C

Uma simples lembrança

Valsa

Revisão: Antonio Carlos Carrasqueira
Cifra: Edmilson Capelupi

Pixinguinha

A♭dim F/A A7/C♯ A7 Dm7 Dm/C G7/B
G7 Gm7 C7 D7 D7/F♯ Gm Gm7 C7
C7/E Cm7 F7 B♭ B♭m6 F/A A♭dim
Gm7 C7/13 F 1. F 2. F
Ao 𝄋 e 𝄌
𝄌 Dm B♭ C♯dim B♭/D B♭/D G7 G7/B
Cm Cm/B♭ Am7(♭5) D7 Gm Gm7 C7 C7
Cm7 F7 B♭ C♯dim B♭/D B♭/D
G7 G7/B Bdim Cm C♯dim Edim B♭/F
G7 Cm7 F7 B♭ 1. B♭ 2. B♭
Ao 𝄋 e Fim

Urubatã

Choro

Revisão: Antonio Carlos Carrasqueira
Cifra: Edmilson Capelupi

Pixinguinha e Benedito Lacerda

C
C♯dim
Dm
D♯dim
C/E
G7
Brek
C
G7
Brek
F
F♯dim
C
A♭7
D♭
G7
1. C
2. C
Do 𝄋 ao 𝄌
𝄌
Am
C7
F
A7
D7
Gm
F
3
G7
Brek
C7
C7
F
A7/C♯
Dm
D/C
G7/B
C/B♭
C7
1. F
2. F
Do 𝄋 ao ❁
❁
Am

Somente

Choro

Revisão: Antonio Carlos Carrasqueira
Cifra: Edmilson Capelupi

Pixinguinha

Valsa faceira

Revisão: Antonio Carlos Carrasqueira
Cifra: Edmilson Capelupi

Pixinguinha

Vamos brincar

Choro

Revisão: Antonio Carlos Carrasqueira
Cifra: Edmilson Capelupi

Pixinguinha

Vem vindo

Baião

Revisão: Antonio Carlos Carrasqueira
Cifra: Edmilson Capelupi

Pixinguinha

Pretencioso

Choro

Revisão: Antonio Carlos Carrasqueira
Cifra: Edmilson Capelupi

Pixinguinha

Proezas de Solon

Choro

Revisão: Antonio Carlos Carrasqueira
Cifra: Edmilson Capelupi

Pixinguinha e Benedito Lacerda

Rosa

Valsa

Revisão: Antonio Carlos Carrasqueira
Cifra: Edmilson Capelupi

Pixinguinha

A7/9 Dm7 G7 C
a - do, pre - ga - do E cru - ci - fi - ca - do so - bre_a ro - sea cruz do_ar - fan - te pei - to
nu - vens de bei - jos Hei de te_en - vol - ver a - té meu pa - de - cer, de to - do_o fe - ne
C Am Am/G B7/F# Dm6/F E7
teu Tu és, a for - ma i - de - al, es - tá - tua ma - gis - tral Oh! al - ma pe - re - nal
E7/G# Am Am Em7(b5) A7 Dm
do meu pri - mei - ro_a - mor, su - blime a - mor Tu és, de Deus a so - be - ra - na flor
Dm/F B7/D# B7 E7 E7/G#
Tu és, de Deus a cri - a - ção, que_em to - do_o co - ra - ção Se - pul - tas o a
Am Am/G B7/F# Dm6/F E7 E7/B
mor, o ri - so_a fé e_a dor em san - da - los o - len - tes Chei - os de sa - bor, em vo - zes tão do
Gm/Bb A7(b9) Dm Bm7(b5) Am
len - tes co - mo_um so - nho_em flor És, lác - tea_es - tre - la, és mãe da re - a
Am/G Dm/F E7 Am Am G7
le - za, És tu do_en - fim que tem de be lo_em to - do_o res - plen - dor da san - ta na - tu - reza Per
Ao 𝄋 e ⊕
⊕ C7 F/A Fm/Ab C/G A7/9 Dm7 G7
cer.

Rosa

(Evocação) *

Valsa

Pixinguinha

* Versão instrumental original gravada pelo autor para a ODEON (1917, disco Nº 121365).

tr
tr
1.
2.
Do 𝄋 ao 𝄌
1.
2.
3
3
Do 𝄋 ao

Rosa
Valsa

I

Tu és, divina e graciosa, estátua majestosa,
Do amor, por Deus esculturada e formada com o ardor
Da alma da mais linda flor de mais ativo olor
Que na vida é preferida pelo beija-flor.
Se Deus, me fora tão clemente, aqui neste ambiente
De luz formada numa tela, deslumbrante e bela
O teu coração, junto ao meu, lanceado, pregado
E crucificado sobre a rosea cruz do arfante peito teu.

II

Tu és, a forma ideal, estátua magistral
Oh! alma perenal do meu primeiro amor, sublime amor
Tu és, de Deus a soberana flor
Tu és, de Deus a criação, que em todo o coração
Sepultas o amor, o riso, a fé e a dor em sandalos olentes
Cheios de sabor, em vozes tão dolentes como um sonho em flor
És, láctea estrela, és mãe da realeza,
És tudo enfim que tem de belo
Em todo o resplendor da santa natureza.

III

Perdão, se ouso confessar que eu hei de sempre amar-te
Oh! flor, meu peito não resiste, oh! meu Deus quanto é triste
A incerteza de um amor que mais me faz penar
Em esperar, em conduzir-te um dia ao pé do altar
Jurar, aos pés do Onipotente em preces comoventes
De dor, e receber a unção de tua gratidão
Depois, de remir, meus desejos em nuvens de beijos
Hei de te envolver até meu padecer, de todo o fenecer.

Modinha brasileira

Revisão: Antonio Carlos Carrasqueira
Cifra: Edmilson Capelupi

Pixinguinha

Oculto

Choro

Revisão: Antonio Carlos Carrasqueira
Cifra: Edmilson Capelupi

Pixinguinha

Em6/G F♯7 A♯dim Bm D♯dim
Em C♯m7(♭5) Bm F♯7
Am6/C B7 Em C♯m7(♭5) Bm/D C♯m7(♭5) Bm G7 F♯7
1. Bm
2. Bm
Ao 𝄋 e ⊕
⊕ D
G E7 Am D7 G
B7/D♯ Em B F♯7/C♯ B/D♯
G7/D G7 C E7/G♯ A7
C C♯dim G/D Em Am7 D7
1. G
2. G
Ao 𝄋 e Fim

Vou Vivendo

Choro Serenata

Revisão: Antonio Carlos Carrasqueira
Cifra: Edmilson Capelupi

Pixinguinha e Benedito Lacerda